Y0-CDR-645

УДК 821.111
ББК 84(4Вел)44
К50

Copyright © Award Publications Limited
© Н. Лясковская, пересказ, 2021
© ООО «Издательство «Стрекоза», 2021

ISBN 978-5-9951-3359-9

Рене Клок

Лесные истории

Москва
Издательство «Стрекоза»

В поисках домика

Рыжий зайка Ушки Врозь жил на опушке леса с мамой, папой, братцем и крошками-сестричками.

В родной норке-квартирке было так уютно и тепло! Но однажды зайка сказал братцу и сестричкам:

— Надоела теснота! Пойду, пожалуй, искать себе домик побольше!

— А как же мама и папа?— спросили сестрички. — Они не разрешат.

— А я потихоньку, — махнул лапкой Ушки Врозь. — Прыг в кусты!

Зайчата побежали играть на лесную полянку. А Ушки Врозь надел курточку и пошёл в другую сторону.

Стоял тёплый солнечный день. Пели птички, порхали бабочки, деревья шелестели листвой...

«Я молодец! Я храбрец! — думал Ушки Врозь. — Не каждый заяц так сможет!»

Под красивым цветком сидела Мышка.

— При-и-ивет! — пискнула она. — Что-то далеко ты ушёл от дома.

— Я совсем ушёл из дома! — гордо сказал зайка. — Ищу себе новый — большой-пребольшой! Хочу жить один!

— Но дети должны жить с мамами и папами, — ответила Мышка. — И ваша норка-квартирка маленькая, но такая уютная!

— Я уже вырос! — гордо задрал нос Ушки Врозь. — Мне нужна отдельная норка. Из трёх комнат!

— Ну пойдём, — сказала Мышка. — Слышала, недалеко, в дубовой роще, есть разные домики. Может, какой-то тебе понравится.

И Мышка повела зайку в дубовую рощу.

В дубовой роще было много домиков — и все такие красивые! Ушки Врозь с интересом разглядывал их. Один, под большим старым дубом, особенно понравился ему. Зайка прямо залюбовался!

Над входом висела табличка: «ПРОДАЁТСЯ».

— Отличный дом! И лесной магазин близко! — пискнула Мышка.

Зайка Ушки Врозь открыл дверь и заглянул внутрь домика:

— Как тут хорошо!

— Зайди внутрь, посмотри, — сказала Мышка. — А я подожду тебя здесь.

И зайка скорей нырнул в домик.

Внутри всё было так мило! Диванчик, столик, стульчики. Шкаф для одежды. Но вот беда — всё такое маленькое! Маленькие комнатки, маленькая лесенка, маленькие окошки...

Зайка с трудом влез в домишко. Ни туда, ни сюда не повернуться! Еле выбрался наружу.

— Мне в нём тесно! — сказал он Мышке. — Наверно, это домик для мышей. Таких, как ты. А я заяц. Большой заяц! Надо искать дом побольше.

Зайка сказал Мышке спасибо и завернул за куст.

Слышит — кто-то кричит:

— Здравствуй, Ушки Врозь!

Зайка огляделся — а это Бельчонок, который жил в дупле высоко на дереве. Он спрыгнул вниз: собрать грибов на обед.

— Куда идёшь, дружок? — спросил Бельчонок.

Зайка Ушки Врозь и ему похвастался:

— Я из родной норки сбежал! Тесно там. Ищу себе новый дом.

— Лучше всего жить на дереве, — сказал Бельчонок. — Можно свить гнездо. Или найти дупло.

— Это мне нравится! — обрадовался Ушки Врозь.

Бельчонок показал на огромное дерево:

— Гляди, вон хорошее дупло. Залезай скорей!

Вообще-то зайцы не могут лазать по деревьям. У них лапки не такие, как у белочек. Но наш Ушки Врозь так хотел пожить в дупле! А ещё он хотел стать первым зайцем, живущим в дупле. И он с трудом стал карабкаться наверх. Бельчонок изо всех сил толкал его снизу — помогал.

— Давай, вперёд!

Вот они почти у цели. Осталось только лапку протянуть...

И вдруг из дупла ка-а-ак выскочит круглая голова с круглыми глазами! Да ещё в ночном колпаке.

Это был Филин. Он спал — ведь филины днём спят. Но шум разбудил его. Филин рассердился:

— У-у-ух, я вас сейчас!

Зайка испугался, разжал лапы... и рухнул вниз! Прямо на Бельчонка...

— Я тебя не задавил? — спросил Ушки Врозь.

— Нет, только чуть-чуть помял, — улыбнулся Бельчонок, потирая ушибленное место.

— Прости!

— Ничего, я цел! Но теперь ясно: тебе надо искать жильё на земле. Ты тяжёлый.

Зайка согласился.

Он стал отряхивать курточку и нашёл в кармане конфету. Ушки Врозь протянул её Бельчонку:

— Это тебе, друг!

Попрощался с Бельчонком и двинулся дальше.

Видит — река! А на берегу, на мокрой травке, сидит Лягушонок.

— Привет, — сказал зайка. — Я ищу просторный дом! Ты можешь помочь?

— Ква-нечно могу! — весело квакнул Лягушонок. — Тут их полно! Все хотят ква-квартиру у реки. Весь день можно купаться! Пойдём, покажу — квак и что...

Но домики, которые по нраву лягушкам, не годятся для зайцев. Зайдёшь в такой — а на полу лужа!

— Так приятно плескаться в жару, не выходя из дома! — радовался Лягушонок.

Увы, зайка Ушки Врозь не любил сырость.

— А водичка квакая! Холодная, свежая, — убеждал его новый друг.

— Нет, спасибо, — сказал зайка. — Если я буду жить в мокром доме — то заболею. Начну кашлять и чихать.

— Ну, будь здоров! — крикнул Лягушонок и плюхнулся в лужу.

Вокруг было так красиво! На воде качались золотые кувшинки. Переливались под лучами солнца цветные крылышки стрекоз... Но Ушки Врозь не смотрел на них.

Он загрустил. Глазки его вдруг стали мокры от слёз: он понял, как сильно соскучился по маме и папе!

И по братику!

И по сестрёнкам!

И даже по тесной, но такой уютной родной норке...

Зайчик устал. Он брёл как попало — и вдруг споткнулся о камень.

Ох! — и зайка уже летит вниз головой в реку! Плюх! — и он в воде! А вода такая холодная...

Ушки Врозь страшно испугался! Он бил лапками, чтобы выплыть, но вода попадала ему в рот и даже в ушки.

Вот-вот зайка утонет...

А река несла его всё дальше и дальше.

Зайка изо всех сил грёб к берегу. Но течение было слишком быстрым. Впереди — мост и водяная мельница. А там...

— Спасите! Я не умею плавать! — закричал бедный Ушки Врозь.

Но никто его не услышал.

Зайка выбился из сил и совсем отчаялся.

И тут кто-то хвать его за курточку! Неведомая сила вынула зайку из воды. Осторожно опустила на берег. Ушки Врозь поднял глаза. Перед ним стояла большая Корова — коричневая, с белыми пятнами.

— Много чего плавает в му-у-утной воде, — задумчиво промычала она. — Не пойму-у-у, кто ты...

— Я заяц, — признал наш Ушки Врозь.

— Кому-у-у расскажу — не поверят! — покачала рогами Корова. — Му-у-ука с этими детьми! Хочешь му-у-у-удрый совет? Держись подальше от реки.

Ушки Врозь сказал Корове:

— Вы меня спасли! Спасибо!

— Не стоит благодарности. Лучше расскажи, как ты упал в речку, — попросила Корова.

И зайка поведал ей о своих приключениях.

— Наверно, у меня никогда теперь не будет своего дома, — сказал он грустно.

— Не му-у-учай себя! — утешила его Корова. — Я знаю, где он. Иди за мной.

И Ушки Врозь пошёл за Коровой. Шли они долго. Солнце начало садиться.

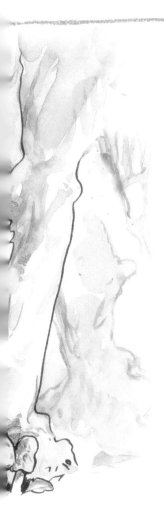

Наступил вечер. Зайка очень устал. Он хотел есть и замёрз. Хорошо бы найти дом до того, как наступит ночь!

Наконец Корова остановилась.

— Иди туда, — сказала она, махнув хвостом в сторону опушки леса. — И скоро увидишь чу-у-удный маленький домик. Там тебя примут с радостью!

— Спасибо! Пока!

И зайка снова двинулся в путь.

Ушки Врозь быстро взобрался на пригорок и замер.

Перед ним красовался... его родной дом. Маленькая уютная норка-квартирка!

Из дверей вышла мама.

— Ах, сынок, ты весь мокрый! — всплеснула она лапами. — Где ты был? Мы с папой так волновались! Заходи скорей, согрейся. И ужин готов. Твои любимые листики молодой капусты!

Вскоре сытый и завёрнутый в тёплое одеяло зайка лежал в мягкой кроватке. Рядом смешно сопели во сне его братец и сестрёнки.

«Это самый лучший дом в мире. И совсем здесь не тесно!» — подумал счастливый Ушки Врозь.

Он улыбнулся и крепко уснул.

Шляпка и ярмарка

Однажды лисичка Лапушка созвала друзей. Они собрались на полянке под старым дубом.

— Сегодня откроется лесная ярмарка! — сказала Лапушка.

— Ура! — закричали зайка Ушки Врозь, мышка Малышка, Лягушонок и белочки. — Будет весело!

Лисичка хитро прищурилась:

— Знаете, кто откроет ярмарку? Звезда лесной эстрады — певица гусыня Гага!

Друзья захлопали в ладоши.

— А я буду продавать на ярмарке цветы, — сказала лисичка. — Заработаю денег.

— А потом устроишь для нас пир? — спросил зайка Ушки Врозь.

— Нет, — сказала Лапушка. — Все деньги я отдам на лечение маленьких зверят.

— Это правильно! — сказал зайка. — Давайте тоже соберём много красивых цветов и отдадим их Лапушке. Так и мы поможем больным зверятам.

— Да! Да! — поддержали друзья.

— А мы наломаем нежных веточек для букетов, — крикнули бельчата.

— А я достану ква-кувшинок! — сказал Лягушонок.

— Спасибо, — просияла лисичка Лапушка. — Я буду лучшей цветочницей. И надену новую шляпку.

— Ну-ка, покажи нам её, — пискнула мышка Малышка.

— Хорошо. — И лисичка убежала за шляпкой.

Вскоре она вернулась. Шляпка и впрямь была хороша: ленты, банты, кружева...

Зверята запрыгали в восторге:

— Ах ты!

— Ох ты!

— Ух ты!

Вдруг дунул сильный ветер — и сорвал лёгкую шляпку с головы Лапушки. Шляпка взвилась в воздух и закружилась, как сухой кленовый листок!

— Ловите её!

— Хватайте! — закричали все.

И началась охота за шляпкой.

Зайчик скок! — не поймал. Белка прыг! — тоже мимо. Лягушонок мокрыми лапками шлёп! — выскользнула. А мышка Малышка и не пыталась — куда ей!

Шалун-ветер дразнился, то опуская свою игрушку к земле, то поднимая высоко в небо. Скоро забава ему надоела. И он ка-а-ак зашвырнёт шляпку в речку!

Добрые утки достали лисичкину обнову из воды. Но увы... Было поздно — шляпке пришёл конец.

Бедная Лапушка заплакала.

— Ах, она размокла! А ведь на ярмарке будет конкурс на лучшую шляпку... И победителю дадут приз... — плакала лисичка.

— Надень свою старую шляпку, — посоветовали друзья.

— Нет, не могу. Она потрёпанная! Мне будет стыдно...

И лисичка побрела прочь, уныло волоча пушистый хвост.

— А давайте сплетём для Лапушки новую шляпку! — предложил Ушки Врозь.

— Здорово он придумал, правда?! — пискнула мышка Малышка.

Все дружно взялись за работу. Бельчата принесли гибкие веточки, Лягушонок — речные стебли. Голубь подарил три нежных пёрышка. А зайка Ушки Врозь нарвал лесных цветов.

Вскоре новая шляпка была готова. Лучшая из всех шляпок в мире! Сама зелёная, сбоку — ромашки и незабудки, а на лбу — пёрышки...

— Главное, чтобы пришлась впору, — сказал Бельчонок и воткнул в шляпку листочек дуба.

Зверята отправились на поиски Лапушки.

Сколько было радости, сколько счастья!

— Она прекрасна, — восхищалась Лапушка. — Спасибо большое!

Лисичка вертелась перед зеркалом, примеряя подарок друзей. Налюбовавшись, она взяла две большие корзины с цветами. Друзья успели и цветы нарвать.

— Встретимся на ярмарке, мои дорогие! — сказала лисичка и пошла по дороге — вся в цветах, словно живая клумба.

Зверята помахали ей вслед.

— Желаем удачи!

— Придерживай шляпку! — пискнула мышка Малышка.

Ярмарка проходила на круглой поляне посреди леса.

Лисичка пришла задолго до начала праздника. Она сделала красивые букеты. Украсила прилавок сосновыми шишками и венками из плюща. Расставила на нём вазы с цветами. Получилось очень красиво!

До открытия ещё оставалось время. И лисичка Лапушка решила посмотреть: что же ещё продаётся?

Чего там только не было!

На прилавках были красиво разложены платьица и штанишки, шляпки и башмачки, подушки и одеяльца, книги и игрушки...

А ещё там, конечно же, были самые разные лакомства: грибы, ягоды, мёд. И пироги на любой вкус!

Матушка Крольчиха и папа-Кролик напекли домашнего печенья. К нему они предлагали всем домашнее варенье и конфеты-ириски, аккуратно завёрнутые в яркие фантики. Ириски словно просили: съешь нас!

Возле столика толпились зверята-малыши, жадно глядя на сладости.

Вскоре явилась гусыня Гага. Она вышла на сцену и сказала:

— Здесь всё так красиво и вкусно! Я уверена: вы выручите много денег. И поможете больным детям. Объявляю ярмарку открытой!

Гусыня запела о золотой осени, о богатом урожае. Песня всем понравилась. Звери хлопали и кричали «Браво!». Гусыня улыбалась и кланялась. А маленький зайчонок вручил ей огромный букет.

Посреди поляны раскинулся белый шатёр. Там продавали лимонад, мороженое и фрукты.

Посетители ярмарки собрались вокруг шатра. Они ждали конкурсов и призов!

Призов было очень много. А самый главный — вкусный кремовый торт. Его испекла матушка Крольчиха. Торт был такой большой, что папа-Кролик привёз его на тачке! Все мечтали выиграть его.

Начались конкурсы.

Зверята бегали наперегонки с куриным яйцом в ложке. Вперёд вырвался зайка Ушки Врозь.

Вдруг все ахнули. Оказалось, кто-то из малышей уронил на землю клейкую ириску. Зайка наступил на неё и... прилип!

Но Ушки Врозь не растерялся. Он быстро скинул башмачок и побежал дальше без него.

— Ура! Он победил! — радовались друзья.

В другом конкурсе лучшим стал Лягушонок. Прыжки в мешке — любимая лягушачья забава! И никто не смог его обскакать.

Третий конкурс — вдвоём на трёх лапках. Это очень сложно! Ведь две лапки бегунов связаны. Тут главное — не толкать друг друга. И считать: раз-два, раз-два! Левой, правой...

На старт! Бельчата рванулись вперёд. Сначала всё шло хорошо. Но возле цветочного ларька лисички Лапушки они сбились с ритма и... Свалились прямо на прилавок! Стол опрокинулся. Вазы и цветы упали на землю.

Лапки бельчат были по-прежнему крепко связаны. И они никак не могли подняться.

Звери кинулись на помощь. Бельчат подняли, отряхнули.

Но цветам как помочь?! Они поломаны, помяты. А от ваз остались одни осколки.

— Вот не везёт! — снова приуныла лисичка. — Теперь я ничего не продам!

Она хотела собрать цветы, но тут кто-то случайно наступил ей на лапку.

— Ой, как больно!

Лапушка расплакалась. И пошла куда глаза глядят.

Лисичка села в одиночестве на берегу маленького пруда. Ей было так горько...

Вдруг рядом кто-то добрым голосом спросил:

— Что случилось?

Лисичка вздрогнула и обернулась. Перед ней стояла знаменитая певица гусыня. Под крылом она держала свой огромный чудесный букет.

Утирая слёзы, Лапушка рассказала ей всё.

— Не плачь, — сказала гусыня ласково. — Это можно исправить.

Она погладила лисичку по голове. Взяла её под своё мягкое крыло.

— Пойдём, детка!

И вместе они вернулись на поляну.

Гусыня оказалась мастерица не только петь! Она быстро поставила на место столик. Подмела мусор. И сказала:

— Несите сюда мой большой букет! Мы сделаем из него много милых маленьких букетиков. И быстро продадим их!

— Отличная идея! — закричали друзья лисички Лапушки.

И закипела работа. Букетики получились один краше другого. Ромашки, анютины глазки, колокольчики...

От покупателей не было отбоя. Ещё бы! За прилавком стояла знаменитая Гага!

Они с Лапушкой продали всё — до последнего цветочка. Коробка с деньгами была полна. Еле крышку закрыли!

Наступил вечер. Ярмарка закрывалась. Зверята собрались расходиться по домам. Им не терпелось полюбоваться на свои покупки.

И вот пришло время назвать: у кого самая красивая шляпка?

— Первый приз достаётся... лисичке Лапушке! — объявил судья конкурса.

И счастливой лисе вручили огромную коробку конфет.

Вы думаете, Лапушка съела конфеты сама?

Нет, конечно!

Она поделилась с друзьями:

— Угощайтесь, мои дорогие! — сказала она. — Без вашей помощи я бы не справилась!

Постойте, а кто же получил огромный вкусный-превкусный кремовый торт?!

Его разделили на много маленьких кусочков и раздали всем зверятам.

Долго ещё вспоминали в лесу эту весёлую ярмарку!

Непростая прогулка

Ёжик Колкие Иголки жил в круглой норе между корней старого дуба.

Однажды утром он вышел на улицу и воскликнул:

— Ух ты, чудесный солнечный день! Надо устроить пикник.

Ёжик сделал бутерброды с сыром. Положил в коробку печенье и большой апельсин.

Может, ещё что-то взять? «Нет, хватит», — решил он.

Он надел курточку и шарфик. Затем выкатил велосипед, привязал к нему коробку с едой. И, напевая, помчался по лесной тропинке.

В зарослях ежевики он заметил семью белок. Белочка-мама горько плакала.

— Наш малыш Рыжик потерялся, — сказала она ёжику.

— Рано утром ушёл собирать орехи и не вернулся! — сдвинул брови Белка-папа. — Надеюсь, этот шалун не упал в реку, ведь он не умеет плавать...

— Я как раз еду к реке, — сказал ёж. — Если увижу Рыжика — передам, чтобы срочно шёл домой!

И Колкие Иголки поехал дальше.

Вот и река. А по ней солнечные зайчики — так и скачут!

Ёжик Колкие Иголки аккуратно поставил велосипед к дереву и пошёл на берег. Он снял ботинки, подвернул штанишки и полез в воду!

Она была такая тёплая, ласковая... Ёжик с удовольствием шлёпал по воде, ступая по мягкому речному песку. Он и не заметил, как прошёл целый час.

В небе звонко пели птички. В реке весело играли рыбки. На листьях кувшинок сидели лягушки и смеялись:

— Ёжик, у тебя лапы расква-квасятся!

Вдруг ёжик Колкие Иголки увидел мышку Малышку.

Она несла из лесного магазина тяжёлую корзину.

— Как же я устала! — сказала мышка.

— Возьми мой велосипед! — предложил ёжик. — Повесь корзину на руль. И вперёд!

— А как же ты?

— В такой чудесный тёплый день я могу дойти до дома пешком.

Мышка обрадовалась. Она села на велосипед и уехала.

Ёжик помахал ей вслед лапкой:

— В добрый путь! Только не гони!

Он уселся на берегу. Солнце пекло всё жарче. Вскоре его иголки, штанишки и лапы стали сухими.

Но... Ему вдруг так захотелось есть! И ёжик вспомнил. Он ведь оставил свой обед в коробке. А коробка — на велосипеде. А велосипед — уехал с мышкой...

Ой, как в животике урчит!

— Как же я забыл про коробку, — загрустил ёжик Колкие Иголки.

Он полез в карман куртки и нашёл там три монетки.

— Пойду-ка в магазин, куплю себе еды.

Магазин назывался «Вкусно и полезно». Его открыли Кролик-папа и Крольчиха-мама. Товары у них и впрямь были вкусные и полезные. Поэтому здесь всегда было много покупателей — лесных обитателей.

За прилавком стояла Крольчиха, похожая на добрую фею. Кролик-папа помогал ей. В очереди весело толпились зверята.

— Пропустите меня, пожалуйста, я очень есть хочу! — попросил ёжик.

— Иди, конечно, — согласились зверята.

Ёжик Колкие Иголки купил себе пирожок и яблоко. А потом спросил:

— Кто-нибудь сегодня видел бельчонка Рыжика?

— Нет, — сказали Крольчиха-мама и Кролик-папа.

— Нет-нет, — пропищали зайчата.

— Ни гур-гур... — проворчал Голубь, что на его языке тоже значило «нет».

— Никвак нет! — крикнул Лягушонок.

Никто не видел в этот день маленького бельчонка.

Ёжик Колкие Иголки решил вернуться к реке. Там солнышко, свежий ветерок — красота!

Он расстелил на траве платок. Положил на него яблоко и пирожок. И приготовился есть.

Вдруг из камышей донёсся плач...

— Кто там?!

Ёжик бросился в заросли.

— Так вот ты где, малыш!

Это был он, бельчонок-потеряшка. Его лапка застряла между камнями — словно в капкане. И он не мог освободиться.

— Помогите! — жалобно попросил Рыжик.

— Зачем ты туда полез? — спросил ёж Колкие Иголки.

— Я хотел сорвать орешки во-о-он с той ветки, но камни скользкие...

Ёжик снова снял куртку, ботинки. И полез в воду.

— Не плачь, Рыжик, я спешу на помощь! — крикнул он и зашлёпал к бельчонку.

Ёжик приподнял камень и... бельчонок оказался на свободе.

Ёжик Колкие Иголки расстелил свою куртку на траве. Они с бельчонком уютно уселись на неё.

— Спасибо! — сказал Рыжик. — Я уж думал, что совсем пропал...

— Малышам нужно быть осторожнее! Твои мама и папа волнуются...

Ёжик хотел быть строгим, но не смог. Ему было жалко малыша.

— Я хотел набрать орехов на завтрак, — плакал Рыжик. — Принести... угостить братиков и сестричек! И маму с папой...

Оказалось, бельчонок вовсе не озорник. Он хотел сделать доброе дело!

— Я заблудился... А потом застрял, — совсем тихо сказал он. — Пропустил не только завтрак... Но и обед!

И он заплакал пуще прежнего.

— Так ты голодный! — понял ёжик. — Ах, бедняга.

Колкие Иголки рад был поделиться своими припасами. Ведь делиться приятно! И ёжик разломил на две части пирожок. А потом — и яблоко.

Еда оказалась такой вкусной! Бельчонок съел всё — до последней крошки. И ёжик тоже.

Они помыли лапки и мордочки в реке.

Ёж сказал:

— Уже вечер. Тебе нужно домой. Твои папа и мама ищут тебя по всему лесу!

Он усадил Рыжика к себе на спину. И они тронулись в путь.

Ёжик и бельчонок подошли к дому белок.

Родители Рыжика кинулись им навстречу. Они так обрадовались! Не могли насмотреться на своего сыночка. Трогали его ушки, лапки, хвостик. Целовали и обнимали его.

— Дорогой ёжик Колкие Иголки! Милый сынок! У вас был тяжёлый день, — сказала Белочка-мама. — Вы же голодные. Скорей за стол, ужин готов!

Ужин вышел на славу!

На столе красовалась огромная тарелка с яйцами и грибами. Рядом — хлеб, сыр, масло. Чай разлили в самые красивые чашки. А на закуску подали множество пирожных. И большой яблочный пирог с кремом!

За столом собралась вся беличья семья. Звучали шутки и смех, было так весело. И очень вкусно!

Ёжик Колкие Иголки и бельчонок Рыжик не раз просили добавки.

Наконец все наелись и расселись у очага.

Бельчонок поведал о своём приключении на реке. О том, как ёж Колкие Иголки спас его и доставил домой.

Все принялись благодарить ёжика. Он скромно опустил глаза...

А бельчонок сказал папе и маме:

— Я больше никогда не уйду далеко от дома. Даже если где-то вырастут самые большие орехи в мире!

Наступила ночь. Ёжик Колкие Иголки попрощался с белками и пошёл домой.

— Какой интересный был день! — подумал он, ложась в постель. — Пикник не получился, но случилось много хорошего! И какой чудесный был ужин у белок!

Он так устал, что сразу уснул. Во сне он счастливо улыбался. Ему снились белки, река и яблочный пирог.

Утром ёжика ждал сюрприз.

Он открыл дверь и увидел... свой велосипед и огромную корзину разных лакомств. А сверху лежала записка:

«Дорогой ёжик Колкие Иголки, ты такой добрый! Ты настоящий друг». И подпись: «Семья белок и мышка Малышка».

Часы с кукушкой

Кролик-папа и Крольчиха-мама жили рядом со своим магазином.

Однажды утром к ним в дверь постучал почтальон.

— Вам письмо.

— Это от моей тёти Пышки, — ахнул Кролик. — Она едет к нам. Будет в три часа!

— А сейчас сколько времени? — спросила Крольчиха.

Кролик-папа посмотрел на стену. Там висели красивые часы. Голубой циферблат, золотые стрелки. Сверху — жёлуди и цветы.

— Семь утра.

— Ах, милый! Ведь это твоя тётя подарила нам на свадьбу часы с кукушкой. Она огорчится, когда узнает, что кукушка сломалась...

И Крольчиха с укором взглянула на сына.

— Я только хотел поймать птичку, — пропищал самый маленький крольчонок.

— Да, малыш. Ты её поймал. — Мама погладила его по спинке. — И теперь птичка не кукует.

— Я снова научу её кукукать. Это просто: «Ку-ку! Ку-ку!» — запрыгал крольчонок.

— Так не получится, — покачал ушами Кролик-папа. — Надо починить часы.

— Да, не будем огорчать тётю Пышку, — согласилась Крольчиха. — Она такая строгая.

Но времени на ремонт оставалось мало!

— Отнесу-ка их Старому Ежу, — сказал Кролик. — Он на все лапы мастер!

Часы были тяжёлые. Кролик-папа погрузил их в тачку. И покатил её по тропинке в лес.

Старый Ёж разобрал часы. И по-чесал в затылке.

— Стрелки движутся, время показывают верно, — сказал он. — Но птичка не кукует.

— А ты там подкрути, тут подтяни! — посоветовал Кролик-папа.

— Я так и сделал. Мне жаль, братец. Но я не могу их починить.

Крольчиха-мама готовилась к приезду тёти Пышки. Она решила испечь пирожки.

А ещё она достала из кладовой батон свежего хлеба и горшочек с вареньем. Семья кроликов любила намазывать варенье на хлеб.

Затем Крольчиха позвала своих детей:

— Дорогие мои, поешьте хлеба с вареньем. А потом присмотрите за магазином! А я приготовлю вкусный обед.

— Ура! — закричали крольчата. — Мы сегодня продавцы!

— Будьте вежливы с покупателями, — строго велела Крольчиха-мама.

— Будем! Мы знаем вежливые слова.

— Какие? — улыбнулась мама.

— Здравствуйте! Спасибо! Пожалуйста! Возьмите сдачу! Приходите к нам ещё! До свидания!

— Ешьте на здоровье! — пропищал самый маленький крольчонок.

Магазин открылся как обычно — ровно в восемь утра.

Крольчата очень любили помогать родителям. Им нравилось работать. Делать важное и нужное дело.

Малыши подмели пол и ступени. Разложили товар по полкам. Повесили яркие ценники. И стали ждать посетителей.

Первыми пришли свинка Щетинка и кошечка Душечка. Им досталось всё самое вкусное! Потому что кто рано встаёт, тот самое вкусное жуёт.

Прибежали белки.

— Нам нужна скатерть! У вас есть скатерть?

— Конечно, — в один голос уверили крольчата.

— У нас праздник! Нам нужна самая нарядная скатерть!

Самый старший крольчонок встал на лесенку. Он залез на самую верхнюю полку и достал самую красивую скатерть.

Но что это?! Лестница закачалась, задрожала — и крольчонок упал вниз! Прямо на бочку с яблоками. Бочка опрокинулась, яблоки покатились по полу... А крольчонок заплакал.

Все кинулись его утешать:

— Тебе больно?

— Нет, — всхлипнул он. — Но скатерть помялась, наверное...

— Не плачь! Скатерть не пострадала! — пропищали бельчата.

Все вместе собрали яблоки, навели порядок. И крольчонок улыбнулся.

А Кролик-папа возвращался домой грустный. Часы починить не удалось.

«Тётя Пышка решит, что мы её не уважаем. Сломали её подарок», — думал он.

Вдруг сверху раздались звонкие птичьи голоса:

— Эй, Кролик! Чиж-чив! Ты потерял наручные часы?

— И теперь берёшь на прогулку огромные часы-тачку?

Кролик посмотрел вверх. На ветке дуба сидели Чижик и Кукушка.

Они покатывались со смеху.

— Часы-тачка! Хи-хи! Тачка-часы!

Кролик-папа вздохнул и поведал им о своей беде.

Птички сразу прекратили насмешки.

— Часы прекрасно показывают время, — сказал Кролик. — Но не кукуют...

Кукушка встрепенулась.

— Есть идея! Я спрячусь за часами и буду куковать, когда надо!

Чижик чирикнул:

— А я буду выскакивать из часов вместо деревянной птички!

— Вот здорово! — воскликнул Кролик-папа.

Крольчиха-мама сказала:

— Это может сработать. Но вдруг тётя догадается?

— Не волнуйся, — успокоил её Чижик. — Ваша тётя приедет в три часа. А последний автобус уходит в пол-пятого. Нужно будет крикнуть «ку-ку!» только раз — в четыре часа.

— Мы справимся, — добавила Кукушка.

— Если всё получится, дам вам по пирогу с вареньем! — пообещала Крольчиха.

Кролики кинулись убирать норку. А Кукушка и Чижик стали репетировать своё «ку-ку».

Наконец Крольчиха-мама достала лучшую скатерть. Накрыла ею стол. Поставила самые красивые чайные чашки. Потом — тарелки, вазочки для варенья, блюда с пирожными и пирогами. И села ждать гостью.

Кролик-папа повесил часы на стену. Кукушку за ними совсем не было видно! Чижик запрыгнул внутрь и закрыл за собой дверцу.

— Последняя репетиция! — сказал Кролик-папа. — Скоро три часа. Чуть часы зазвонят, я крикну: «Давай!»

— Мы поняли, — покивали головками птички.

Раздался тихий звон...

— Давай!

Из часов выскочил Чижик, а Кукушка прокричала три раза:

— Ку-ку! Ку-ку! Ку-ку!

Чижик спрятался. Кукушка умолкла. Всё вышло так здорово! Кроличья семья так и покатилась со смеху.

Через пять минут дверь открылась. На пороге стояла тётя Пышка — нарядная, серьёзная дама. Все кролики её немного побаивались.

Гостья посмотрела на часы с кукушкой.

— Ах, мой подарок! Как хорошо, что вы его бережёте.

— Ваши часы украшают дом! — сказала Крольчиха-мама.

— И они правильно показывают время, — добавил Кролик-папа.

Тётя Пышка смягчилась. Она была довольна.

— Давно я не слышала их дивного «ку-ку»!

Крольчата получили от тёти гостинцы — игрушки и красивые штанишки. От радости они расшалились! Шум, возня, хохот! Чуть не сбили с ног Крольчиху-маму, которая несла горячий чайник.

— А ну, прекратите! — крикнула она. — До беды недалеко...

— Прости, мама, — запищали крольчата.

Тётя Пышка сердито сдвинула брови:

— Марш на улицу. Норка — не место для возни!

Крольчата побежали играть во двор. А тётя Пышка направилась в кроличий магазин.

— Да тут полный беспорядок! — ворчала она, оглядываясь вокруг.

Крольчиха опустила глаза.

Конечно, дети прибрались в магазине после падения крольчонка на бочку с яблоками. Но ведь они только дети...

Тётя Пышка всегда найдёт, к чему придраться.

Чтобы отвлечь строгую гостью, Крольчиха-мама громко позвала:

— Пойдёмте пить чай!

Семья уселась за стол.

Крольчиха-мама очень волновалась. Вдруг тётушке не понравится её выпечка?! Вдруг чашки стоят некрасиво? Вдруг гостье попадётся тарелка с трещиной? Вдруг...

Но она беспокоилась зря. Тётя Пышка ничего не замечала. Она ела.

Съела три куска торта с тыквой. Салат из капусты. Салат из огурчиков и зелени. Бутерброды с грибами. Пять яблок. Пять морковок. Десять пирожных из одуванчиков. И почти все пирожки с вареньем!

— Хотите что-нибудь ещё? — вежливо спросил Кролик-папа.

На тарелке остались всего два сиротливых пирожка. Тётя Пышка жадно взглянула на них.

— Они такие вкусные! Давай!

Тётя Пышка протянула лапку...

И вдруг раздалось громкое:

— Ку-ку! Ку-ку! Ку-ку! Ку-ку!

Все вздрогнули. Но тётя была счастлива. Ведь она так хотела услышать, как бьют её часы! И увидеть кукушку. Которая — уж мы-то знаем — на самом деле была чижом.

Тётя Пышка так радовалась, что не заметила: часы пробили раньше! Стрелки показывали без десяти четыре.

— Мне пора! — воскликнула тётя. — Иначе не успею на последний автобус. До свидания, мои дорогие. Спасибо за чудесный чай!

— Приезжайте к нам ещё! — закричали кролики.

После объятий и поцелуев тётя Пышка поспешила на автобус.

Два пирожка с вареньем остались на столе.

Кукушка и Чижик вылезли из своих укрытий.

— Почему вы выступили раньше времени? — спросил их Кролик-папа. — Ведь ещё оставалось десять минут...

— Твоя тётя крикнула «Давай!», — чирикнул Чиж.

— И протянула лапу к нашим пирожкам! — сказала Кукушка. — Осталось-то только два...

Все засмеялись.

— Как хорошо, что тётя довольна, — сказал Кролик-папа.

— И сыта! — улыбнулась Крольчиха-мама.

— Дайте сюда наши пирожки! Мы их заслужили! — пропели птички.

Содержание

*Печатное издание для детей
дошкольного возраста*

Серия «Детская художественная литература»

Автор и художник Рене Клок

ЛЕСНЫЕ ИСТОРИИ

Сказки

Пересказ Н. Лясковской

Подписано в печать 18.03.2021. Формат 84x108/16.
Гарнитура «Прагматика». Бумага офсетная.
Печать офсетная. Печ. л. 6. Тираж 10000 экз. Заказ № ВЗК-02854-21.

ООО «Издательство «Стрекоза», Россия, 107014, г. Москва,
ул. Стромынка, д. 11, этаж 2, пом. IX, ком. 11.

Отпечатано в АО «Первая Образцовая типография».
Филиал «Дом печати — ВЯТКА», Россия, 610033, г. Киров, ул. Московская, 122.

Для реализации:
107014, Россия, г. Москва, ул. Стромынка, д. 11
E-mail: info@strecoza.ru
Наш сайт: www.strecoza.ru

Подпишитесь на нас в *Instagram*:
https://www.instagram.com/izdatelstvo_strecoza/

Страна-изготовитель: Россия
Дата изготовления: апрель, 2021
Изготовитель: ООО «Издательство «Стрекоза»